Y0-CCC-354

Traduction : Anne-Marie Montgomery
Équipe de révision : Julie Trottier, Geneviève Paradis
Mise en page : Vanessa Morrow (www.bigfootprints.ca)
Maison d'édition : *Pouvoir de Changer*, Langley (Colombie-Britannique) Canada
www.pouvoirdechanger.com

Extraits choisis du livre *Âme avide*, une traduction de *Soul Cravings*,
© 2006 Erwin Raphael McManus
Publié à Nashville, Tennessee, par Thomas Nelson, Inc.

Extraits choisis:
Avide
Destinée : Pensées 1, 3,16, 20
Intimité : Pensées 1, 10, 11, 16,21
Sens : Pensées 7, 14, 20
Cherchez

Imprimé au Canada
ISBN : 978-1-894605-70-0

ÂME AVIDE

UNE EXPLORATION DE L'ESPRIT HUMAIN

ERWIN RAPHAEL McMANUS

EXTRAITS

Une invitation au dialogue

Dans ce livre, Erwin McManus nous parle des aspirations profondes de notre âme : notre désir de découvrir notre destinée, le vrai amour, le sens de la vie. Souvent, ce n'est qu'en discutant avec d'autres que nous découvrons toute la portée de tels sujets. Les quelques questions qui se trouvent dans ce livre peuvent servir à commencer une discussion entre amis ou à entamer un dialogue confidentiel avec un bénévole du site compagnon du livre, ameavide.com.

Pour amorcer le dialogue en ligne (offert gratuitement) vous n'avez qu'à cliquer sur le bouton *Dialogue* qui se trouve sur chaque page du site. Votre courriel sera envoyé à un système de gestion de courriels qui préserve l'anonymat des correspondants. Un de nos accompagnateurs bénévoles recevra votre lettre et y répondra. Pour poursuivre le dialogue, vous n'avez qu'à répondre à votre tour.

Nous vous invitons chaleureusement à visiter le site **ameavide.com** dès aujourd'hui.

TABLE DES MATIÈRES

AVIDE

CHAQUE MATIN, JE ME RÉVEILLE À LA PENSÉE QUE tout ce qu'il me faut pour bien accueillir la journée est de respirer de l'air frais et de trouver le Starbucks le plus près. En fait, je vis à Los Angeles : je peux donc me passer d'air frais (mes poumons se sont finalement adaptés à l'air pollué). Par contre, la caféine m'est essentielle. Chaque matin exige son cappuccino deux pour cent brûlant.

Ne me jugez pas trop vite : j'aimerais vous assurer qu'il ne s'agit pas d'une dépendance, mais d'un simple délice. Je peux laisser tomber cette habitude n'importe quand. Donc, je n'ai nullement besoin de le faire...

Je suis convaincu que le café est un goût qui s'acquiert. Son arôme surpasse en attrait sa saveur et même ses effets irrésistibles. Ce n'est que dernièrement que la science a découvert les vertus médicinales de cette graine sacrée. Si tout va bien, elle formera bientôt à elle seule un groupe alimentaire distinct.

Je n'ai jamais été enceinte (ma femme s'est portée volontaire à deux reprises), mais je connais néanmoins des envies puissantes. Mon amour du café est-il un problème? Je dirais que non. L'expresso n'est qu'une faiblesse, et je suis reconnaissant d'avoir un trafiquant... pardon, un *barista*.

Certains désirs qui m'habitent sont aussi prégnants qu'une

dépendance. Ils m'ont toujours habité et m'ont parfois tourmenté. Ces désirs sont plus criants et profonds qu'une dépendance physique.

Au-delà de ma chair,
de ma pensée,
de mon cœur,
semble se trouver la tanière
de mes désirs les plus profonds et puissants.
Et ils ne gisent pas silencieusement.

Il me semble que, quoi que je fasse, **mon âme ne cesse d'en désirer plus**. Non, pas plus... je dirais plutôt qu'elle semble avide de quelque chose qui m'échappe.

Mon âme a ses passions, mais que sont-elles?

C'est là le plus gros du problème, je l'avoue. Dans l'espoir de satisfaire mon âme, j'ai tant essayé et même tant accompli en vain. Mes efforts ne faisaient qu'empirer mon état. Non seulement je me trouvais insatisfait, mais le vide intérieur s'intensifiait en moi pour former un cratère plus profond que jamais.

Il me semble que j'ai passé ma vie entière à tenter de satisfaire cette dimension insatiable de mon être.

Si vous vous entreteniez avec mon âme, elle me décrirait probablement comme sadique ou masochiste. Mon âme vous confierait que je trouve un plaisir malsain à la laisser insatisfaite. Mais ne tirez pas de conclusion avant de connaître ma version des faits. Ce n'est pas comme si je voulais que mon âme dépérisse. Ce n'est pas intentionnellement que je l'ai privée de ce qu'il lui fallait.

Si je rencontrais un homme rampant en plein désert, à l'extrémité de la soif, je partagerais mon eau avec lui. Si je connaissais la localisation d'un puits, je lui montrerais le chemin. Non, je ferais même plus, je le traînerais jusque-là.

Comment mon âme peut-elle donc me tenir responsable de son état quand elle ne peut même pas exprimer ce qu'elle recherche?

Et s'il nous était possible de le découvrir? S'il était impératif qu'on le découvre?

Nous cherchons tous à nous connaître, tant bien que mal. Nous hésitons à révéler notre âme aux autres par crainte de jugement, tout en reconnaissant notre besoin d'être accompagnés sur le chemin de la découverte de soi. Nous espérons tous découvrir notre place unique en ce monde. Nous sommes tous des pèlerins en quête de sens.

Jésus a déclaré que le royaume de Dieu est en nous. Cependant, la plupart d'entre nous n'osent pas considérer cette possibilité.

Jésus semble nous dire que notre univers intérieur nous offre plus de possibilités de découvrir Dieu que l'univers qui nous entoure.

J'aimerais vous inviter à suivre cette piste avec moi : je vous invite à explorer avec moi l'esprit humain, à aller jusqu'au plus profond de vous-même à la découverte des mystères de cet univers intérieur qui vous habite.

« Que vois-tu? »

On m'a demandé de réfléchir à cette question dans ma jeunesse, lorsque je tentais désespérément de me comprendre. J'étais là, assis, offrant ma contribution à la recherche étendue qui se faisait à l'époque sur le sens des taches d'encre.

Même à 12 ans, je savais qu'il s'agissait d'une question piège.

La personne en question voulait découvrir ce que je voyais

pour comprendre ce qui se trouvait au fond de mon cœur.

Que vois-tu? C'est tout de même une bonne question. Notre rétine est nécessaire à la vue, mais c'est notre âme qui accorde un sens à ce que nous voyons. À l'époque, mon âme était confuse, froide, endurcie; je devenais rapidement aveugle à tant de choses.

Lorsque notre âme est malade, un des symptômes est l'aveuglement. Si nous ne prenons pas garde à nous, nous perdrons la capacité de voir la beauté, la vérité et même l'affection qui nous entourent. Plus important encore, nous fermerons peut-être nos yeux à ce que notre âme a besoin que nous voyions le plus clairement.

Psych vient du grec et signifie *âme, souffle, vie*. Ce n'est pas une simple coïncidence : la psychologie cherche à comprendre les dimensions de l'être qui ne sont pas physiques. Serait-ce possible que ce que nous appelons psychose ou névrose soit symptôme d'une âme souffrante?

Que voyez-vous?

Si vous acceptez de répondre honnêtement à cette question, vous gagnerez une vision plus claire de vous-même. C'est dans ce but que j'aimerais vous inviter à participer à une histoire. C'est notre histoire en tant qu'humains.

J'aimerais vous servir de guide pendant un voyage de l'âme et vous aider à découvrir ce qui réside déjà en vous. Vous ne vous demanderez pas simplement *Qu'est-ce que je vois?* mais aussi *Qu'est-ce que j'entends? Qu'est-ce que je ressens? Qu'est-ce que je trouve?*

Nous explorerons l'esprit humain, et je suis tout à fait certain que vos découvertes vous surprendront.

Dans ces pages, vous trouverez la description de trois quêtes universelles : la quête d'intimité, la quête de destinée et la quête de sens. Nous passons tous par ces cheminements, nous connaissons tous ces passions de l'âme. Cependant, l'intensité de ces désirs et l'ordre de leur manifestation varient d'une personne à l'autre.

J'aimerais mentionner en passant que ce livre ne cherche pas à présenter des preuves empiriques de l'existence de Dieu. Ce livre est plutôt une invitation à la découverte de soi. Il décrit notre histoire en tant qu'humains. Si Dieu existe, nous devrions le trouver au cœur de ce parcours. Je ne saurais vous prouver l'existence de Dieu. Je ne peux qu'espérer vous accompagner de telle sorte que vous puissiez le rencontrer.

Les pages qui suivent sont le reflet de mon cheminement. Je vous invite donc à vous joindre à ma quête. Je n'ai jamais cru que nous pouvions ni devions contraindre qui que ce soit à croire en Dieu. Ce livre est simplement une offrande de ma part à ceux qui sont en quête de Dieu. Je vous l'offre parce que je sais que je ne peux m'attendre à ce que vous révéliez votre cœur si je ne vous ouvre pas le mien.

Mon âme est avide.

Si la vôtre l'est aussi, alors faisons un bout de chemin ensemble.

DESTINÉE

L'appel du destin

NOUS CONNAISSONS TOUS LE BESOIN INNÉ d'aller de l'avant, qu'il s'agisse du désir de réussir, du besoin d'être important, de l'espoir d'aider à forger un monde meilleur ou de l'aspiration à devenir une meilleure personne. Sans cette passion intérieure, notre vie ne deviendrait que l'ombre de ce qu'elle pourrait être. Nous pouvons vivre sans poursuivre de rêve, nous pouvons fonctionner sans passion, mais notre âme en souffre. Elle a soif de devenir. Si nous essayons d'ignorer ce fait, nous en venons à haïr notre vie et à dédaigner toute personne qui refuse d'abandonner ses rêves.

On ne peut faire fi de ce désir en prétextant qu'il n'est que le fruit de notre éducation. Il se manifeste dès notre petite enfance et non seulement au stade adulte. Personne n'a besoin d'enseigner aux bébés à ramper, car ils se mettent à bouger tout naturellement. Il arrive un temps où ce n'est pas assez de ramper. Nous voulons marcher. C'est très bien de marcher, jusqu'au jour où nous apprenons à courir. Courir, c'est bien, jusqu'au jour où nous apprenons à conduire. Pour quelques-uns d'entre nous, conduire n'est pas assez : nous voulons voler.

Ce besoin de nous épanouir se manifeste dès nos premiers

rêves. Nous sommes une race remplie d'ambition innée. Dans nos rêves, nous aspirons naturellement à la grandeur. Aucun athlète qui se donne corps et âme à son sport ne se contente de rêver d'obtenir la quatrième place aux Jeux olympiques. Pouvez-vous imaginer une jeune nageuse de dix ans vous annonçant passionnément qu'elle s'entraîne dans l'espoir de participer aux Jeux et de manquer de près une médaille? Le rêve qui la pousse est plutôt de rivaliser avec les meilleures nageuses du monde.

Lorsque nous habitions à Miami, en Floride, j'ai fait la connaissance d'un enfant philippin appelé Billy. Il avait deux ans de plus que moi et était dix fois plus *cool* que moi. Il était populaire, branché. Les filles le trouvaient attirant, et il jouait du saxophone. J'en ai conclu que je devais jouer du sax. Je me suis inscrit à l'harmonie et, pendant deux ans, j'étais troisième saxophoniste dans un groupe qui ne comptait que trois saxophones. Tous mes efforts n'ont que peu récolté : je ne suis pas né pour jouer du saxophone, même si j'ai toujours aimé la musique. Plusieurs années plus tard, j'ai gratté un peu de la guitare, je me suis amusé à jouer du piano, j'ai composé beaucoup de chansons, mais j'avoue que toute une distance me sépare de Miles Davis.

Je n'ai peut-être pas les compétences d'un musicien chevronné, mais j'ai l'âme d'un artiste. Entrez chez nous, et vous penserez que nous avons dévalisé une boutique d'instruments de musique. Vous y trouverez de l'équipement de son, des microphones, des claviers, des guitares acoustiques et électriques, une basse, une flûte, une batterie et même un saxophone. Je n'exagère pas lorsque je dis que j'ai beaucoup encouragé l'amour de la musique chez mes enfants. Cependant, leurs aspirations en ce domaine ne tiennent pas de moi, mais de Neal Pert, Geddy Lee et Lenny Kravitz. Dans mon cas, John

Lennon et Paul McCarney m'ont inspiré lorsque j'étais jeune; Bono et Chris Martin m'inspirent aujourd'hui. Il existe beaucoup de bons groupes outre les *Beatles, Rush, Radiohead* ou *Coldplay*, mais lorsque nous rêvons, lorsque nous aspirons à la grandeur, nous ne nous inspirons de rien de moins que de l'extraordinaire. Nous rêvons de grandeur; nos rêves sont remplis d'ambition.

Enfants, nous pensons que c'est une chose facile d'atteindre l'éminence. Quel que soit notre idéal, nous commençons à rêver qu'un jour, nous serons les meilleurs. Ce n'est qu'en perdant peu à peu notre innocence d'enfant que nous apprenons à nous satisfaire de moins. Il me semble qu'en grandissant, nous en venons à accepter la médiocrité. Nous disons que nous devenons réalistes, que cela fait partie de la vie. Mais en fait, notre âme se meurt. Lorsque nous cessons de rêver, nous commençons à périr. Pour certains, cette descente vers la mort est lente et pénible. D'autres ne sont plus que des zombies : **ils sont morts depuis longtemps, et le fait qu'ils continuent de respirer n'est qu'un hasard de la nature.**

> Croyez-vous que vos rêves peuvent se réaliser? Quelle importance devrions-nous accorder aux rêves en tant qu'adultes?
> ***ameavide.com***

La réussite en crise

LA VIE EST DES PLUS BELLES LORSQU'ELLE EST VÉCUE sous l'impulsion d'une urgence passionnée animée par un sens du destin. Nous devons nous épanouir; c'est à la fois un besoin et une aspiration.

Un proverbe connu dit que le peuple périt faute de vision. Ces paroles nous viendraient du roi Salomon, qui a aussi dit qu'un espoir différé rend le cœur malade. Nous avons besoin d'aspirer à un rêve et de travailler à son accomplissement. Sans vision et sans raison d'être, nous périssons peu à peu. Si l'espoir nous semble illusoire, notre cœur et notre âme deviennent malades. Il est primordial de garder espoir, car l'espérance est essentielle à la vie; elle est le carburant qui nous permet d'aller de l'avant. Si nous abandonnons l'espoir, nous cessons d'avancer et commençons à vivre dans le passé.

Si nous n'espérons plus en l'avenir, nous n'avons plus d'avenir.

La génération du *baby-boom* semble avoir accentué la crise de la quarantaine. Le scénario classique, c'est que rendu à cette tranche d'âge, nous faisons un retour sur notre vie. Nous commençons à penser que nous avons manqué notre coup et que nous n'arriverons jamais à atteindre notre plein potentiel.

Il n'y a vraiment que deux raisons pour lesquelles nous passons par la crise de la quarantaine.

La première est que nous avons consacré notre vie à la poursuite de certains buts et de certains rêves. Nous avons tout sacrifié pour les atteindre, peut-être même notre relation de couple et notre relation avec nos enfants. Nous avons tout laissé sur l'autel de la réussite. Nous frisons la quarantaine et commençons à nous rendre compte que bien que nous ayons tout sacrifié à l'accomplissement de nos buts, nous n'arriverons jamais à réaliser nos rêves et nos ambitions. Donc, c'est la panique, c'est la crise de la quarantaine.

La deuxième raison est identique à la première, à une différence près. En arrivant à la quarantaine, nous constatons que nous avons accompli tous nos buts. Nous étions certains que cela en valait le sacrifice, même le sacrifice des relations humaines les plus importantes. Nous nous disions que de tels sacrifices étaient nécessaires à l'atteinte de nos objectifs, qu'il ne fallait pas devenir distrait, qu'il fallait garder les yeux fixés sur le but et gagner à tout prix. Et nous avons réussi. Notre vie est un tableau parfait de la réussite. Nous avons tout, mais le vide s'est installé en nous. Tout cela pour rien.

Nous nous retrouvons donc en pleine crise, car nous nous demandons, peut-être pour la première fois, s'il existe vraiment une raison de vivre.

Parfois, cette perturbation sert à nous lancer sur une nouvelle piste. Le succès n'importe plus. Nous savons maintenant que la vie ne se résume pas à ça. Nous sommes mûrs. Nous voulons plutôt que notre vie compte pour quelque chose, nous voulons influencer le cours des choses. Nous espérons qu'il n'est pas trop tard. Chaque jour nous éloigne de la naissance et nous rapproche de la mort. Donc, nous revoyons nos valeurs, nous choisissons de nouveaux objectifs et nous partons à la découverte d'un nouvel avenir.

Bien qu'une nouvelle boussole nous guide, le voyage est fondamentalement le même. Nous désirons devenir une personne mémorable, une personne admirable. Nous cherchons, parfois désespérément, à devenir quelqu'un d'important. Nous sommes d'étranges créatures, nous, les humains. Nous aspirons à la réussite, nous désirons que notre vie compte pour quelque chose, nous cherchons notre raison d'être, nous rêvons d'un grand destin.

Pourquoi en avons-nous besoin? Ne pourrions-nous pas vivre sans tout cela?

La passion secrète de l'âme

NOUS CONNAISSONS TOUS CETTE ASPIRATION profonde, ce désir de transformer non seulement notre propre vie, mais aussi la vie des autres.

Nous avons été créés avec le besoin d'espérer et le besoin d'offrir de l'espoir.

Lorsque nous devenons blasés, nous choisissons d'ignorer cette voix qui nous encourage à venir en aide aux autres, mais cette voix intérieure continue à nous hanter. Lorsque nous savons qu'il faut faire quelque chose, nous espérons au moins que quelqu'un fera de quoi.

Oui, il est possible d'anesthésier notre âme, mais il est impossible de la réduire au silence. Plus nous nous éloignons de Dieu, plus il est probable que nous abandonnions l'idée du progrès. Une analyse superficielle de l'histoire nous porterait peut-être à conclure à l'opposé, étant donné que la religion s'est souvent levée contre le progrès; mais Dieu, lui, ne l'a jamais fait.

Lorsque nous cessons de croire que le monde peut devenir meilleur, lorsque nous demeurons indifférents à la souffrance de l'autre, nous perdons une parcelle de nous-mêmes. Dieu nous a créés pour avancer. Il a toujours voulu que nous soyons agents du bien. Nous pouvons ignorer les problèmes en ce monde, mais ce faisant, nous devenons moins qu'humains. Lorsque nous nous consacrons à la création d'un avenir meilleur, lorsque nous refusons d'accepter le statu quo pour nous engager résolument à la transformation du monde, quelque chose s'éveille en nous. Cela dépasse la simple raison. Nous savons que nous avons fait le bon choix. Cela satisfait une dimension profonde de notre être. Notre âme avait faim et soif, nous ignorions de quoi, et voilà, enfin, nous le comprenons. Notre âme avait faim d'espoir; non seulement de le posséder, mais aussi de l'offrir.

C'est ce qu'il y a de mystérieux chez l'esprit humain : Dieu n'a jamais voulu que nous vivions sans espoir. Lorsque nous concevons l'avenir comme quelque chose que nous devons simplement subir, nous devenons passifs, indifférents, immobilisés même. Lorsque nous accueillons notre place unique dans la création, tout commence à changer. Non seulement trouvons-nous la force de vivre, mais nous devenons des êtres responsables : responsables non seulement de notre propre vie, mais aussi de celle de toute personne qu'il nous est possible d'aider.

Vivre sans but, c'est vivre une vie morne et plate. Vous n'êtes pas fait pour abandonner l'espoir. La preuve que votre âme est en quête d'un grand destin, c'est que lorsque vous ne croyez plus que votre vie a un but, votre âme demeure insatisfaite, quoi que vous fassiez. Vous ne pouvez pas posséder, gagner ou obtenir assez pour la tenir tranquille. La misère vous envahit.

Pour aller au-delà des sentiments, pour aller au-delà de la compassion et agir, nous devons croire qu'il est bien d'agir, que nous avons été créés pour être des agents de changement. Le moins qu'on puisse dire au sujet de Jésus, c'est qu'il était un agent de changement. Suivre Jésus, c'est croire que toute vie peut changer. Notre héritage ne nous définit pas. Notre destin ne se limite pas à notre lignée. Dieu accorde une valeur identique à chaque être humain. Personne ne doit demeurer prisonnier de son sort.

Croyez-vous que le monde peut devenir meilleur? ***ameavide.com***

INTIMITÉ

Aimer, c'est comme marcher sur des fragments de verre

C'ÉTAIT MA DERNIÈRE ANNÉE À L'UNIVERSITÉ DE Caroline du Nord. Par une très belle nuit, nous avons décidé en groupe de nous échapper du dortoir pour nous promener jusqu'à la rue Franklin, l'artère la plus animée de l'état. C'était une occasion de revoir de vieux amis et de nous en faire des nouveaux. Après avoir acheté de quoi manger, nous avons pris le chemin du retour. C'est alors que l'inattendu s'est produit. Un cri de douleur a percé la nuit, interrompant nos conversations animées et nos rires. La personne du groupe que je connaissais le moins, mais qui m'attirait le plus, avait décidé de marcher pieds nus et venait de se blesser sur un fragment de verre.

Il lui était impossible de marcher plus loin.

Tout le monde s'inquiétait pour elle. Tous les garçons voulaient l'aider, mais le destin semblait pencher de mon côté. J'étais le seul qui était assez fort pour la porter dans mes bras. Dieu merci, je me tenais avec des intellectuels qui étaient loin d'être costauds. Pendant plus d'un kilomètre, je l'ai portée dans mes bras, jusqu'à notre arrivée au dortoir, un trajet qui semblait aller seulement dans le sens de la descente. C'était magique. Soit qu'elle était très légère soit que j'étais très fort ou très motivé!

C'est ainsi qu'est né notre amour, tout comme dans un roman classique... le genre d'amour que nous ne trouvons que dans des livres et que nous lisons avec envie. Vous savez, le grand amour, la romance épique, un classique à la Shakespeare. Je crois que c'est Christopher Marlowe qui a écrit : « *Come with me and be my love, and we will all life's pleasures prove.* (Viens avec moi et sois mon amour, et nous trouverons tous les plaisirs de la vie.) » C'est sûrement un tel amour qui aurait inspiré une personne à créer l'expression « le grand amour » — cet amour éternel, cet amour que les poètes passent une centaine d'années à décrire.

Le nôtre a duré deux mois.

Voilà le problème avec l'amour. Il vous attire à lui tel un agneau à l'abattoir. Il vous dérobe le cœur avec des promesses qui semblent trop belles pour être vraies. Et, un jour, vous découvrez que c'est bel et bien le cas.

Peut-être est-ce John Donne qui l'a le mieux exprimé lorsqu'il a écrit : « *I am two fools, I know. For loving and for saying so.* (Je suis doublement idiot, je le sais. Idiot d'aimer et idiot de le déclarer.) » Il n'y a probablement aucun sujet de discussion plus captivant et en même temps moins tangible que l'amour. Nous nous tournons vers des « experts » tels qu'Aphrodite ou Oprah Winfrey pour nous guider dans la jungle tumultueuse des émotions humaines. À chaque génération, nous reprenons le thème. Ainsi, du roman *Orgueil et préjugés* écrit par Jane Austen, nous passons à la série télévisée britannique *Orgueil et préjugés*, au film d'Hollywood *Orgueil et préjugés* et au film *Bridget Jones* (une version *d'Orgueil et préjugés* destinée à ceux qui ne pensent pas aimer le livre).

Nous sommes poussés *par* l'amour, poussés *vers* l'amour, et même repoussés *de* l'amour.

Sans amour, que seraient les thèmes de nos chansons? Il faut admettre que la musique ne présente pas un front uni à son sujet. Certains artistes présentent l'amour comme la plus importante des raisons d'être. De la chanson *Everlong* des *Foo Fighters* à la ballade envoûtante *You're Beautiful* de James Blunt, l'amour est décrit comme étant la plus grande des puissances. Mais nous trouvons aussi des chansons comme *Breaking My Heart Again* du groupe *Aqualung*, et *Someday You Will be Loved* de *Death Cab for Cutie*, en passant par le vieux classique *What's Love Got To Do With It* (de Tina Turner, pour ceux qui seraient trop jeunes pour la connaître). Ces chansons nous rappellent avec force qu'il n'y a peut-être rien de plus périlleux que l'amour.

Comment est-ce possible qu'une force qui peut transformer notre vie en rhapsodie puisse aussi nous laisser évidés comme des carcasses de poisson enroulées dans les journaux de la veille?

Est-ce qu'aimer est toujours un risque? L'amour vous a-t-il déjà laissé à vide? ***ameavide.com***

Que dois-je faire pour être aimé?

NOUS DISONS DU VRAI AMOUR QU'IL NE DURE PAS seulement pour la vie, mais pour toujours. Cependant, notre vécu semble indiquer que ce « toujours » a bel et bien un début et une fin. Puisque nous n'arrivons pas à vivre ce vrai amour, nous en concluons que l'amour n'est pas tout ce qu'il prétend être. « Préparez-vous à être déçu. » N'est-ce pas la leçon à tirer de l'histoire de l'amour? Notre capacité à aimer n'arrive pas à la hauteur de nos attentes.

Si nous n'arrivons pas à répondre aux attentes des gens, comment pourrions-nous répondre aux attentes de Dieu? S'il y a des conditions liées à l'amour de Dieu, nous nous trouvons tous dans un état précaire.

À mon avis, toute religion humaine se fonde sur cette prémisse :

Dieu nous aime, mais seulement sous certaines conditions. L'amour de Dieu peut se mériter, doit se mériter. Si nous vivons comme Dieu le veut, nous réussirons à mériter son amour.

Les religions utilisent peut-être des mots différents pour parler de ce que nous devons mériter — *pardon, miséricorde, grâce, accueil* —, mais tous ces mots ne décrivent qu'un concept : l'amour.

Nous pourrions penser que toutes les religions se ressemblent sur ce point : elles donnent un nom à Dieu et établissent les règles à suivre pour mériter son affection et sa faveur. Je crois que c'est pour cette raison que beaucoup de gens viennent à conclure que toutes les religions ne sont que différentes voies menant à un même but.

Certaines filles veulent recevoir des fleurs; d'autres, du chocolat; d'autres, un dialogue profond (et vous pensiez que les fleurs et le chocolat coûtaient cher!). Nous empruntons ces différents moyens pour atteindre un seul et même but : trouver l'amour, être aimés. De même, certaines personnes prient cinq fois par jour en se tournant vers l'est. D'autres récitent le chapelet; d'autres apportent des offrandes, allument des bougies et mémorisent des incantations. Les méthodes varient, mais le but est le même : trouver un accueil auprès du Créateur.

En fait, il est absurde de croire qu'une religion quelconque pourrait réussir à nous conduire à Dieu.

C'est comme aimer une personne qui ne s'intéresse guère à nous. Elle accueille nos avances parce que cela lui donne de l'importance, mais elle ne s'intéresse pas à poursuivre la relation. L'amour est tout de notre côté. La personne aime qu'on la poursuive, et donc, notre désir pour elle ne fait que l'encourager à demeurer inaccessible.

Admettons-le : si la prémisse de la religion était valide — fais ceci, et Dieu t'accueillera —, Dieu ne serait alors rien de plus qu'un être divin attrayant, imbu de lui-même et arrogant qui aime être l'objet de toute notre affection.

Au fil des ans, l'expression d'un amour sans retour, offert à un Dieu lointain auquel nous espérons plaire un jour, est devenue ce que nous appelons aujourd'hui la dévotion. À y réfléchir assez longtemps, nous en perdrions l'appétit. Si un être cher se trouvait dans une relation où l'amour n'était pas réciproque, nous ferions tout notre possible pour le convaincre de s'en libérer. Mais nous désirons tellement être aimés que nous permettons aux gens de nous abaisser et de nous manipuler dans l'espoir d'être aimés un jour.

On m'accuse souvent d'être irréligieux, et je crois que c'est à cause de ce que je viens de dire. À mon avis, nous faisons face à la pire des corruptions lorsqu'une religion – que celle-ci soit issue du christianisme, de l'islam, du bouddhisme, de l'hindouisme, du judaïsme ou de toute autre idéologie – se fonde sur la prémisse subtile que Dieu se retient de nous aimer et que nous devons nous soumettre à ce système religieux pour mériter son amour.

Mais encore, de tels pièges fonctionnent pour deux raisons : nous désirons être aimés et nous sommes convaincus que tout amour se mérite, même l'amour de Dieu.

Fait ironique, c'est sur ce point que tant de gens ont des problèmes avec Jésus.

Ces derniers siècles, l'Église en est venue à proclamer que si nous voulons que Dieu nous aime, nous devons suivre les règles. Il est devenu plus important de parler du problème du péché que du problème de l'amour. C'est seulement ainsi que l'établissement religieux peut continuer à diriger notre vie. Après tout, si l'amour de Dieu est inconditionnel, qu'est-ce qui va encourager les gens à suivre nos règles? Le but premier n'est-il pas que les gens soient bons? Si nous avons comme but la conformité des gens, nous pouvons l'atteindre sans amour, mais le maintien de la civilisation est impossible sans lois. Ce que les gouvernements n'ont pas toujours réussi à accomplir, les religions l'accomplissent à merveille. Elles maintiennent la discipline et encouragent la conformité.

Mais que se passerait-il si les gens redécouvraient le vrai message de Jésus — que l'amour est constant, inconditionnel? Que se passerait-il si nous en venions à comprendre que Dieu ne s'attend pas à ce que nous méritions son amour, mais plutôt qu'il nous poursuit de son amour? Que se passerait-il si la nouvelle se répandait que Jésus nous offre librement son amour inconditionnel?

Est-ce que quelqu'un choisirait vraiment de demeurer esclave au rituel et au légalisme s'il pouvait plutôt vivre une relation d'amour? La réponse, malheureusement, se trouve à être oui. La raison pour laquelle la religion fonctionne est que nous croyons déjà que tout amour se mérite et doutons de l'existence d'un amour intarissable librement offert à tous.

Je suis certain que beaucoup d'entre nous ont rencontré des dirigeants religieux, des dirigeants d'églises même, qui se présentent comme porte-paroles de Dieu et tiennent Dieu en otage. Ils nous disent que nous devons payer une rançon pour libérer son amour. Il y a trop de personnes qui se font dire que s'ils donnent assez d'argent, ils recevront alors tout ce que Dieu tient en réserve pour eux.

Certains d'entre nous ont constaté que c'est tout à fait faux.

L'amour qui s'achète n'est pas l'amour que notre âme recherche. Si nous devons acheter l'amour, il ne vaut pas le prix de son achat. Je sais que beaucoup lisent Matthieu, Marc, Luc et Jean pour trouver la sagesse spirituelle, mais ici, John, Paul, Ringo et George ont aussi raison. On ne peut acheter l'amour : *Can't Buy Me Love.*

Nous voilà donc devant un dilemme : nous ne pouvons mériter l'amour, nous ne pouvons acheter l'amour, et nous ne pouvons vivre sans amour.

Au fin fond de nous-mêmes, nous savons que l'amour inconstant n'est pas de l'amour. Nous savons aussi que si l'amour est inconditionnel, il nous est impossible d'être les initiateurs ou la source d'un tel amour. C'est une partie du problème. Nous désirons ce que nous n'offrons pas. Nous sommes avides de ce que nous sommes incapables de produire.

En passant, d'où vient le concept de l'amour constant? Comment pouvons-nous conserver cet idéal quand nous n'arrivons pas à le vivre? Croire en un amour constant, n'est-ce pas un peu comme croire aux extraterrestres?

Si l'amour est une émotion aussi profonde, comment se fait-il que nous utilisons le verbe « aimer » à toutes les sauces?

Il se peut que le fait que nous disons aimer même les choses les plus insignifiantes nous en révèle plus sur notre conception de l'amour qu'on ne le pense. Si nous connaissions vraiment l'amour, si nous connaissions l'amour profond et éternel, nous n'utiliserions peut-être pas ce même mot pour parler de chocolat. Je suis certain que Dieu apprécie toutes les bonnes choses que nous disons aimer (après tout, il a créé tout ce qui est bon et parfait), mais le reste de la création n'est pas l'objet de son affection au même niveau que nous. Lorsqu'il est question de l'amour, nous formons une catégorie à part. Dieu peut se dispenser de beaucoup de choses. Il peut recréer ce qu'il veut. Mais nous ne sommes pas sur cette liste. Nous sommes uniques et irremplaçables.

Nous sommes l'objet de l'amour de Dieu.

> Qu'est-ce que cela changerait à votre vie si vous étiez certain que Dieu vous aimait inconditionnellement? ***ameavide.com***

Poursuivis par l'amour (Ralentissez, s'il vous plaît)

DANS MON LIVRE *CHASING DAYLIGHT*, JE DÉCRIS une visite au Moyen-Orient que nous avons faite en équipe. On m'avait invité à m'adresser à un groupe musulman au sujet de l'histoire de la religion chrétienne. Pressé par mon interprète à répondre à une question que j'avais tenté d'éviter, je me suis trouvé à parler plus précisément et personnellement de Jésus. J'avais confessé ma déception et même mon dédain pour la religion qui s'est développée autour de la foi chrétienne. Les membres de l'auditoire semblaient tous d'accord qu'il y avait un sérieux manque de cohérence entre les croyances et les pratiques de cette religion.

Ils ont néanmoins exprimé le désir de connaître le vrai sens de la venue de Jésus. Un peu appréhensif, j'ai fait de mon mieux pour replacer l'histoire de Jésus dans son contexte d'origine, le contexte du Moyen-Orient (après tout, c'est là qu'il a vécu sur terre), et plus particulièrement, pour expliquer pourquoi il était nécessaire que Dieu se fasse homme. Voici mon explication de l'histoire de Dieu. En passant, c'est une histoire d'amour.

« Un jour, j'ai rencontré une femme qui se prénommait Kim. »

L'interprète m'a regardé, l'air confus. Je suis certain qu'il tentait de se rappeler quel personnage biblique portait le nom de Kim. Je l'ai encouragé à continuer à traduire mes paroles.

« Un jour, j'ai rencontré Kim, et je suis tombé amoureux d'elle. »

J'ai continué : *« Je l'ai poursuivie de mon amour, et encore poursuivie de mon amour, jusqu'à ce que j'aie finalement l'impression d'avoir captivé son cœur grâce à mon amour. Alors, je l'ai demandée en mariage, et elle m'a répondu non. »* J'étais conscient de leur sympathie, sinon de leur pitié pour moi.

« Je l'ai poursuivie encore plus de mon amour, et je l'ai de nouveau demandée en mariage. En fait, je l'ai poursuivie de mon amour jusqu'à ce qu'elle dise oui. »

Tout l'auditoire semblait grandement soulagé.

J'ai continué : *« Je n'ai pas envoyé mon frère ou un ami, car lorsqu'il s'agit d'amour, il faut se présenter en personne. »*

« Voici l'histoire de Dieu : il vous poursuit de son amour et vous poursuit de son amour, et peut-être n'avez-vous pas dit oui. Mais même si vous rejetez son amour, il continue de vous poursuivre de son amour. Il ne suffisait pas d'envoyer un ange ou un prophète ou tout autre représentant, car lorsqu'il s'agit de l'amour, il faut se présenter en personne. Donc, Dieu s'est présenté à nous. »

« C'est là l'histoire de Jésus : Dieu est venu parmi nous. Il nous poursuit de son amour. Il connaît de près le rejet, mais il n'abandonne pas. Il continue à nous poursuivre : il est ici maintenant même, vous poursuivant de son amour. »

Les musulmans sont souvent dépeints comme des gens violents, colériques et hostiles. Mais je peux vous dire qu'en cette occasion, une réalité transcendante semblait nous lier, cœur et âme. Une croyance qui devrait nous séparer semblait nous unir, et je suis presque certain que j'en comprends la raison. Tout être humain aspire à l'amour. La possibilité que Dieu soit amour nous dépasse, nous atterre presque.

En cette occasion, l'histoire de Jésus ne s'est pas transformée en discussion sur qui avait tort et qui avait raison. Nous n'avons pas présenté des arguments sur le nom de Dieu ou le nom de son prophète. Nous avons plutôt parlé de ce qui motivait Dieu dans ses agissements envers l'humanité. Si tout ce qui importait pour

Dieu était que notre théologie soit exacte, il n'aurait pas eu à venir parmi nous pour nous adresser son message. S'il avait simplement voulu nous enseigner à distinguer le bien du mal, il aurait pu le faire sans nous rendre visite. S'il avait simplement voulu nous ébahir par une démonstration de son pouvoir surnaturel afin de nous contraindre à croire, même là, il n'aurait pas eu à s'incarner et à vivre parmi nous pour le faire.

Il n'y a qu'un motif pour la venue de Dieu parmi nous : lorsqu'il est question d'amour, nous ne pouvons pas demander à une tierce personne de nous remplacer. L'amour ne peut exister à distance. Il se déclare en personne. Nous devons rencontrer l'objet de notre amour. L'amour peut survivre à la distance, mais seulement s'il a été fortifié par l'intimité.

Comme un amant, Dieu parcourt les rues de la ville, il s'aventure sur les sentiers les plus obscurs et les plus reculés, il se promène dans les rues sans nom des lieux les plus déserts, cherchant celui que son cœur aime, celle que son cœur aime — vous, moi, et tout être humain qui a vu le jour, marché sur cette terre et aspiré à l'amour.

En fin de compte, toutes les religions échouent dans leur représentation de Dieu; soit qu'elles dictent des exigences à l'amour ou qu'elles deviennent des requiem pour l'amour. Je crois que beaucoup d'entre nous ont abandonné leur recherche de Dieu à cause de fausses représentations de sa personne. On nous a dit que Dieu est un amant récalcitrant et que nous devons vivre selon ses attentes élevées si nous voulons accéder à son amour. C'est de la pure folie! L'amour existe parce que Dieu est amour. Notre âme ne trouve le repos que lorsqu'elle découvre enfin cet amour inconditionnel que nous désirons tellement connaître.

Dieu n'est ni lointain ni passif. L'amour n'est jamais passif.

Au contraire, il est toujours passionné, et la passion conduit toujours à l'action.

Quelle est votre vision de Dieu? Comment décririez-vous son amour? ***ameavide.com***

Dieu et le basket-ball

JÉSUS DIT CLAIREMENT QUE NOUS NE DEVONS jamais limiter l'expression de l'amour à notre relation avec Dieu. L'amour va aussi bien au-delà de ce qui se passe entre un homme et une femme, même si cela est extraordinaire. L'amour prend constamment de l'ampleur. Non seulement notre amour pour les gens devrait-il s'approfondir, mais il devrait s'étendre à de plus en plus de gens. L'amour nous invite à vivre en communauté; l'amour nous invite à nous joindre à l'humanité; l'amour nous invite à aller vers les autres.

Lorsque nous appartenons à Dieu, nous appartenons du même coup à sa famille.

Il n'y a pas d'exclus. Tous les marginaux sont les bienvenus. Dieu ne se limite pas à nous donner son amour infini et constant en cadeau. Il fait bien plus que cela : il nous confie les uns aux autres.

Notre appartenance à cette famille n'est pas accidentelle, mais plutôt essentielle. C'est Jésus lui-même qui a déclaré que la preuve de notre amour pour Dieu se trouve dans l'amour que nous manifestons les uns envers les autres.

Jésus nous dit que si nous ne nous aimons pas mutuellement, si nous ne vivons pas une communion fraternelle authentique et accueillante, personne ne devrait croire que nous sommes parvenus à la connaissance de Dieu. C'est peut-être même la raison pour laquelle vous hésitez à confier votre cœur à Jésus-Christ : vous avez visité des églises, vous avez été entouré de chrétiens, et vous en avez souffert. Vous avez adopté toutes sortes d'arguments intellectuels pour justifier votre incrédulité, mais en fait, c'est leur manque d'amour qui vous a repoussé. Peut-être vos conclusions sont-elles erronées, mais votre intuition disait vrai.

Si Dieu se trouve au cœur de quelque chose, s'il y est vivement présent, vous y trouverez l'amour. Jésus reconnaissait pleinement cette vérité. Il nous a mis en garde contre l'hypocrisie sous toutes ses formes. Lorsque ceux qui se disent ses représentants manquent d'amour, ceux qui le recherchent pourraient conclure que Dieu aussi manque d'amour. Le problème, bien entendu, c'est que nous sommes tous des hypocrites en voie de transformation. Je ne suis pas encore celui que je désire être, mais je suis en cheminement vers ce but, et je suis content de constater que je ne suis plus la personne que j'étais.

Une communauté saine n'est pas composée de personnes parfaites. Une telle communauté n'existe pas sur terre. Nous avons tous des carences. Si une communauté parfaite existait, je la démolirais en m'y joignant. Il est beaucoup plus facile d'être patient envers les autres lorsque nous constatons leur patience à notre égard. Le problème surgit lorsque nous faisons semblant d'être différents de ce que nous sommes vraiment. Ce qui rend une communauté malsaine, ce sont les faux-fuyants et l'hypocrisie.

Aussi étrange que cela puisse paraître, la meilleure façon d'établir une communauté saine est d'avouer que nous avons des problèmes et que nous sommes loin d'être parfaits. Seule l'honnêteté permet l'intimité. Pour que l'honnêteté et l'intimité existent, il faut la confiance.

L'amour, sur tous les plans, est un risque énorme.

Si je me souviens que Dieu ne me rejettera jamais malgré toutes mes carences, et que toute communauté qui partage son cœur m'accueillera tel que je suis, cela m'aide à courir le risque d'être authentique. Jésus nous invite à faire partie d'une famille où des personnes imparfaites peuvent trouver l'accueil, l'amour, le pardon et un nouveau départ.

Pour participer pleinement à une telle communauté, nous devons, tôt ou tard, nous risquer à découvrir si Dieu peut nous aimer par l'entremise de ses enfants.

Nous jouions au basket-ball dans la cour arrière. Après le match, nous nous sommes reposés, car nous étions épuisés. Je me suis assis près de Ben, qui se posait des questions sérieuses au sujet de Dieu. Notre conversation portait surtout sur la divinité de Jésus. Ben était prêt à accepter Jésus comme philosophe, enseignant ou même gourou. Mais il ne pouvait accepter sa divinité. Après un temps, j'ai finalement compris. J'ai changé de piste pour lui faire cette observation : « Tu as peur que Dieu te fasse du tort. »

Il m'a regardé dans les yeux et a avoué sans hésitation : « C'est exactement ça! » Ensuite, il a partagé les souffrances passées qui formaient l'arrière-fond de ses doutes présents.

Nous sommes tous comme lui, et Jésus le savait. Lorsque les autres nous blessent, cela peut influencer notre vision de Dieu. Si nous faisons partie d'une communauté qui dit connaître Dieu et que cette communauté vient à nous trahir, cette blessure peut faire de nous des athées. Si la religion peut nous rapprocher de Dieu, elle peut certainement avoir l'effet contraire et nous éloigner de lui. Mon espoir, c'est qu'en participant à notre communauté, Ben découvre la présence de Dieu en constatant tout l'amour que nous avons les uns pour les autres, ainsi que pour lui.

L'amour n'est pas un gros mot

L'AMOUR EST TOUT CE QU'IL VOUS FAUT.
DIEU est Amour.

Craignez-vous d'être déçu par Dieu? Avez-vous été déçu par Dieu par le passé? ***ameavide.com***

SENS

La réponse est la question (ou est-ce l'inverse?)

IL Y A UNE PREUVE DE L'EXISTENCE DE DIEU DANS la multiplicité des religions, mais il faut savoir la trouver. Avant que nous puissions trouver Dieu dans les réponses, nous devons le trouver dans les questions.

Peut-être les réponses viennent-elles de nous, et c'est pour cela que nous en trouvons des millions. Mais les questions ont quelque chose de mystérieux...

Nous en avons tous;
Nous en posons tous;
D'où que nous venions,
Quelle que soit l'époque où nous vivions,
Les questions demeurent les mêmes.
Aussi importantes que les réponses puissent être,
Ce qu'il y a de plus révélateur,
C'est que nous avons des questions : ??????????????????????????
Pourquoi avons-nous besoin de savoir?
Qu'est-ce qui nous pousse à chercher des réponses?
D'où vient cette capacité à les poser?
Chacun de nous est en quête d'un sens.

Quête de sens ⟶ Quête-sens ⟶ Question

Le symbole qui nous dirige vers la réponse est celui-ci :?

Chacun d'entre nous, quelles que soient les réponses que nous trouvons, ressent ce même besoin : le besoin de comprendre le sens de la vie.

Notre cerveau cherche à intégrer toute notre expérience de la vie, tout ce que nous apprenons, toute parcelle d'information que nous obtenons, et il ne trouve son repos que lorsque nous trouvons une explication cohérente à tout cela.

Quelle que soit votre opinion de la Bible, que vous croyiez qu'elle est inspirée de Dieu ou qu'elle est un simple produit de l'effort humain, il faut tout au moins admettre que ce livre, comme les autres textes religieux d'ailleurs, fait partie de la grande histoire de l'humanité en quête de sens.

Toute grande religion, toute philosophie, tout système de croyances — de l'anthropologie à l'astrologie, à la sociologie, à la psychologie, à la mythologie, à la science même — cherche à présenter une vision cohérente de la vie. Nous sommes tous en train d'essayer d'expliquer qui nous sommes. Nous voulons tous connaître le sens à notre existence.

Si vous êtes très instruit, vous pouvez facilement repérer les faiblesses et les faussetés qui se rattachent aux différents systèmes de croyances. Il se peut même que vous dédaigniez les personnes qui accueillent avec foi des réponses simplistes aux problèmes complexes.

Nos ancêtres croyaient que la terre était plate, que la pluie tombait en réponse à nos danses, que la course des étoiles influençait notre vie. Nous avons délaissé beaucoup de mythes qu'on croyait vrais autrefois. Peut-être est-ce une faiblesse humaine, mais il me semble que nous sommes tous prédisposés à croire. Nous croyons presque n'importe quoi.

Bien que nous soyons capables d'éliminer peu à peu ce qui est faux, nous ne pouvons échapper au fait que nous sommes tous enclins à croire en quelque chose, quelles que soient notre religion, notre race, notre langue, quel que soit notre âge ou notre niveau d'éducation, quelles que soient nos différences.

Nous ne serons pas tous d'accord sur ce qu'il faut croire; il se peut même que nous nous disputions au sujet de ce qu'est la vérité; mais nous ne pouvons pas nier le fait que notre âme est en quête d'une vérité qu'elle peut accueillir pleinement.

En quoi aimeriez-vous croire? ***ameavide.com***

À vrai dire, tout est question de confiance

LE MONDE DEVIENDRA MEILLEUR LORSQUE NOUS deviendrons meilleurs. Malgré tous les progrès que nous avons connus depuis l'ère des Lumières, nous devons admettre que nous ne nous sommes pas améliorés en tant qu'espèce. C'est une des raisons pour lesquelles nous perdons confiance en la science. Il n'y a pas si longtemps, la science semblait promettre un monde meilleur. Grâce à elle, nous saurions nous défaire de nos instincts primordiaux. C'était un des espoirs fondamentaux de l'ère des Lumières : que nous puissions nous défaire de notre nature violente grâce à l'éducation et à la connaissance.

Nous étions les maîtres du progrès, et un jour, nous cesserions de nous haïr, de maltraiter les impuissants, d'aller en guerre ou d'agir de quelque façon inhumaine que ce soit. La voie de la science était la voie du progrès. Nous n'avions plus besoin de Dieu. Nous n'avions plus besoin de lui pour devenir meilleurs. Nous pouvions non seulement devenir bons sans Dieu, mais devenir meilleurs sans lui, en progressant de plus en plus.

Et puis, il y a eu Hiroshima et Nagasaki. Même si nous nous trouvions du côté des vainqueurs, nous savions alors que nous étions tous perdants. La science ne nous aidait pas à créer un monde meilleur, mais plutôt un monde plus menaçant. Il semblerait que nous puissions tout améliorer, sauf nous-mêmes.

Si la science et Dieu s'opposent, pourquoi alors blâmer Dieu pour les effets néfastes de nos avancées scientifiques?

Einstein a reconnu que nous étions à la source du problème : « La découverte de l'énergie atomique a tout changé sauf notre façon de penser... La solution repose dans le cœur de l'humanité. Si seulement j'avais su, je serais devenu horloger. »

En d'autres mots, il est mieux de ne pas faire avancer la science si nous ne pouvons pas être bons. Moins nous avons accès à la technologie, moins nous faisons de dégâts.

C'est au milieu du vingtième siècle que nous avons compris que toute la technologie du monde ne saurait nous recréer le paradis perdu. Peut-être avions-nous raison de dire que nous ne pouvions pas nous fier à la religion, à la philosophie, à l'histoire, aux dirigeants ou aux établissements, mais ce que nous tenions pour certain, c'était que nous ne pouvions pas nous fier à la science, et pour la même raison : les êtres humains dirigent tous ces efforts.

Cela nous amène à considérer le lien entre la vérité et la confiance.

Lorsque j'étais étudiant en philosophie à l'université, j'ai noté que toute école de pensée avait quelque chose de convaincant. Mais j'ai tôt fait de découvrir que chaque système philosophique avait aussi ses carences et ses faiblesses. Même avant de suivre Jésus, même lorsque je me pensais socratique, j'avais constaté que tout se résumait à une question de foi. Je passais d'une vision du monde à une autre avec toute la passion de la jeunesse. Après un temps, j'en suis venu à voir ces croyances comme changeables, interchangeables et jetables. J'ai commencé à me demander si Locke, Rousseau ou Hume en connaissaient vraiment plus que moi. Certes, ils étaient plus intelligents que moi, mais j'étais certain que, lorsqu'ils se retrouvaient seuls, ils étaient aussi incertains des faits que moi. Nous étions tous des voyageurs en pleine forêt cherchant une nouvelle piste qui nous guiderait vers la vérité.

Certains croyaient qu'ils trouveraient Dieu un peu plus loin en chemin. D'autres croyaient que rien ne se trouvait au bout du chemin. Peut-être n'avions-nous rien en commun à part être perdus, à la recherche du chemin à suivre. Il est difficile d'agir en guide lorsque nous n'avons aucune idée de notre destination.

Au sein de toute cette incertitude, nous avons commencé à mettre l'accent sur les questions plutôt que sur les réponses. C'est une des raisons pour lesquelles j'aime tant Socrate (sans mentionner le fait qu'il était prêt à mourir pour ses convictions).

Même lorsque la vérité absolue demeure voilée à nos yeux, nous sommes prêts à suivre une personne tout à fait fiable.

L'exactitude compte moins pour nous que l'authenticité.

Si personne ne connaît la réponse, quelqu'un alors connaît-il le chemin?

J'ai donc commencé à chercher la vérité d'une toute nouvelle façon. Je ne cherchais plus les meilleures idées, mais la meilleure vie. Ce que je finirais par croire ne devait pas simplement changer ma façon de penser; cette croyance devait aussi transformer ma vie.

Existait-il une vérité non seulement digne d'être crue, mais digne d'être vécue?

Comment une idée s'incarne-t-elle?

C'est ainsi que j'ai commencé à considérer Jésus. Ses paroles étaient directes et claires. Il ne disait pas simplement connaître la vérité, il disait *être* la vérité. Une telle affirmation a une portée très large. Est-il possible que la vérité soit plus qu'une idée, et qu'elle se trouve en Dieu? Ce que Jésus nous dit, c'est que la vérité existe en Dieu et nous vient de lui.

Chercher la vérité, ce serait donc chercher Dieu. Notre âme a soif de celui qui est Vérité. La vérité n'existe pas dans le vide. Elle existe parce que Dieu est véridique et digne de confiance. Lorsque notre âme nous pousse à chercher la vérité, elle est en fait à la recherche de Dieu. C'était plus facile de me fier simplement à moi-même. Vous pensez peut-être qu'il m'a été facile de croire en Dieu, mais vous ne pouvez même pas commencer à imaginer combien j'ai trouvé difficile de lui faire confiance. J'étais passé de la recherche d'un système de croyances abstrait à la recherche d'une personne digne de confiance. Sans m'en rendre compte, j'étais passé de la vérité à la confiance.

C'est ce qui se trouve au cœur de notre quête de sens.

Comment reconnaître la vérité? ***ameavide.com***

Ça ne devrait pas nous rendre malades

JE TROUVE FRUSTRANT QU'EN FIN DE COMPTE, TANT de choses qui portent le nom de Jésus n'ont rien à voir avec lui. Cela constitue un obstacle à notre quête d'un sens à la vie. La plupart des gens que je rencontre sont profondément attirés vers Jésus lorsqu'ils entendent parler de lui, mais décident tout de même de le tenir à l'écart. Ce qui les fait hésiter, ce n'est pas l'attrait de l'hindouisme, de l'humanisme, du bouddhisme ou même de l'athéisme. Le vrai obstacle qu'ils affrontent lorsqu'ils en viennent à Jésus est la religion dite chrétienne. Je n'ai jamais été un grand partisan de la religion de toute façon. Une fois, pendant que je présentais une série de discours chez un libraire près de UCLA, une femme très gentille et remplie de compassion m'a dit que je ne devrais pas parler en mal de la religion, puisqu'elle aidait les gens à se rendre à mi-chemin dans leur quête de Dieu. Je lui ai avoué que mon expérience semblait confirmer le contraire.

D'habitude, la pratique d'une religion nous éloigne de Dieu.

À une autre occasion, j'ai reçu un courriel surprenant de la part d'un homme qui se disait athée. Il m'a envoyé une argumentation passionnée sur la valeur de la religion. Il m'a accusé d'être trop pessimiste envers les religions en général, et m'a expliqué leur valeur cathartique. Je lui ai répondu que je trouvais que nous étions arrivés à un tournant intéressant de notre relation. Il était un athée religieux, et j'étais un pasteur irréligieux. J'ai essayé de lui expliquer qu'en tant que disciple de Jésus-Christ, je trouvais important de dénoncer la corruption et de m'y opposer, que je la constate au sein de l'islam, du gouvernement américain, de l'Église catholique ou d'une Église évangélique. Lorsque la religion sert à manipuler ou à dominer les gens, je la considère ennemie de l'humanité et ennemie de Dieu.

Je n'ai pas beaucoup de patience envers les gens qui utilisent le nom de Dieu pour essayer de dominer les autres en faisant appel à la culpabilité et la honte. Il ne vaut pas la peine d'accueillir un amour qui n'est pas offert gratuitement, car un tel amour n'est pas réel, même si l'on dit qu'il vient de Dieu. C'est bizarre : Jésus est comme un verre d'eau fraîche par une journée torride, mais souvent, le christianisme ressemble plutôt à du lait qui a tourné.

À l'été de l'an 2000, j'ai visité Damas, en Syrie, avec une équipe internationale. C'était une expérience merveilleuse que de nous promener dans les rues de cette ville qui se tient au cœur d'une des cultures les plus anciennes du monde et qui est aujourd'hui la capitale du terrorisme. On nous avait avertis avant notre voyage que visiter ce pays pourrait être dangereux et peut-être même menaçant pour notre vie. À ma surprise, c'était le cas pour nous. Ce voyage m'a presque tué. En fait, si je me souviens bien, nous étions trois à lutter contre la mort.

On nous avait empoisonnés.

Nous croyons que la source du poison était une cannette de Coke Diète, car nous en avons bu tous les trois. On lisait bien « Coke Diète » sur la canette, tout comme en Amérique du Nord. Mais ce qui était important de noter, c'était ce qui se trouvait écrit en fines lettres : *embouteillée en Syrie*. Nous pensions savoir ce que nous buvions, mais ce n'était pas le cas. Quelques-unes de nos erreurs sont banales, mais celle-ci a failli tout nous coûter. Le contenant semblait authentique, mais nous sommes trois à témoigner qu'il s'agissait bien d'une contrefaçon.

Il y a malheureusement des parallèles entre cette cannette de Coke Diète de la Syrie et la religion chrétienne issue de l'Occident. Il ne faut pas se fier à l'étiquette. Vous ne recevez pas toujours ce que vous pensez recevoir. Le fait que le nom de Jésus figure sur le produit ne veut pas dire qu'il s'agit d'un produit authentique. S'il vous fait beaucoup souffrir et vous donne mal au cœur, il se peut que vous ayez accepté une contrefaçon et non la foi chrétienne.

Cela pourrait sembler contre-intuitif de fuir une église tout en cherchant Dieu désespérément, mais si vous vous trouvez dans un milieu religieux toxique, vous avez raison de vous enfuir, même si l'église porte le nom de Jésus. En passant, en agissant de la sorte, vous ne fuyez pas Jésus, vous vous rapprochez de lui. Il faut toutefois éviter de conclure que l'authentique n'existe pas parce que vous avez connu une contrefaçon, et peut-être même une contrefaçon toxique. Même si vous vous trouvez frustré, même si vous avez l'impression d'avoir été dupé ou que vous êtes déçu, même si vous avez cru que quelque chose était vrai pour ensuite découvrir que c'était faux, vous pouvez trouver une consolation en ceci : quelque chose en vous peut distinguer le vrai du faux.

Votre âme vous pousse à chercher la vérité et vous le confirme lorsque vous l'avez trouvée.

> La religion s'oppose-t-elle à Jésus? Est-ce possible de suivre Jésus sans devenir religieux? ***ameavide.com***

DÉCOUVRIR

PARFOIS, J'AI L'IMPRESSION QUE MON ÂME EST UN peu comme un robinet qui coule, qui coule goutte à goutte pendant la nuit entière. Le bruit n'est pas si fort que ça, mais après des heures, le *flic, flac* ne fait pas simplement écho, il s'intensifie. Plus la salle est silencieuse, plus le bruit devient fort, jusqu'à envahir la pièce. Nous donnerions n'importe quoi pour y mettre fin.

Après un temps, si l'eau continue à tomber goutte à goutte, nous cessons de l'entendre. Il ne devient qu'un bruit de fond. Il nous interpelle, mais nous ne l'entendons plus. Il va de tonitruant à silencieux, pour devenir tonitruant de nouveau lorsque nous nous y attendons le moins.

Les passions de l'âme sont aussi comme ça. Elles crient après nous jusqu'à nous faire mal. Après un temps, leurs cris deviennent silencieux. Nous ne pouvons plus les entendre et nous pourrions même renier leur existence si ce n'était de cet écho troublant venant de notre âme dénuée.

Nous ne savons pas ce dont notre âme a soif. Nous n'arrivons pas à le découvrir, et donc nous perdons notre âme. Nous choisissons tout simplement de l'ignorer et de continuer.

Les Foo Fighters ont chanté ma frustration :

All my life
I've been searching for something
Something never comes
Never leads to nothing
Nothing satisfies but I'm getting close
Closer to the prize at the end of the rope.

J'ai passé ma vie à chercher
Quelque chose qui n'arrive jamais
Ne mène à rien.
Rien ne satisfait,
Mais je me rapproche
Du prix au bout du rouleau.

Nous pouvons nous perdre dans nos désirs sans jamais soulager les aspirations profondes de notre âme.

Plutôt que d'avouer que nous ne poursuivons pas vraiment ce que notre âme désire, nous tentons d'ignorer le problème en nous procurant plus : plus de jouets, plus d'argent, plus de pouvoir, plus de prestige, plus de sexe, plus de trucs. Nous passons notre vie à chercher à satisfaire notre âme. Certaines choses ne sont que des façades. D'autres ne satisfont que pour un temps. D'autres ne font qu'anesthésier notre âme.

À bien y penser, c'est vraiment étrange – gagner le monde entier et perdre son âme.

Nous sommes en voyage d'exploration de l'esprit humain.

Voilà vingt-deux ans que nous sommes mariés, Kim et moi, et je peux vous dire que son univers intérieur est en expansion continue. Plus j'arrive à la connaître, plus je constate sa profondeur croissante. Je ne la connaîtrai jamais à fond. En fait, elle ne se connaîtra jamais à fond, parce qu'elle n'est pas un être stagnant. Il est impossible de venir à connaître parfaitement une personne qui continue de croître, de changer, de progresser. C'est ce que j'aime le plus chez Kim. Elle n'est plus la femme que j'ai épousée il y a plus de vingt ans. Elle est devenue beaucoup plus encore.

J'aimerais dire que c'est le cas pour tout le monde, mais je ne suis pas certain que ce soit exact. Il me semble que l'univers intérieur de certains individus est très petit. Nous n'y trouvons assez de place que pour eux. Ils possèdent une âme qui a la possibilité de s'étendre, mais ils se trouvent malgré cela au cœur d'un univers qui se désintègre – aucune place pour les rêves, pour l'espoir, pour le rire, pour l'amour, pour les autres – seulement assez de place pour eux.

Ils souffrent d'une grande solitude, sans pouvoir expliquer pourquoi c'est le cas. Leur âme a tout de même soif. Ils ont gagné le monde entier et ont perdu leur âme en faisant d'eux-mêmes le centre de l'univers. Ils ont abandonné la partie.

La plupart d'entre nous ne vendent pas leur âme au diable; ils l'abandonnent, tout simplement.

Nous pouvons suivre la voie facile, porter un masque d'indifférence et nous contenter de suivre la voie de la médiocrité. Nous vivons dans un monde rempli d'indifférence, d'apathie, de détachement, de conformité, d'acquiescement au statu quo. Nous avalons tout ça, mais nous ne le digérons pas très bien. L'esprit humain n'a aucun appétit pour ce qui est morne, terne et sans passion. Lorsque nous cessons de croire que nous sommes uniques, quelque chose en nous se meurt.

Qu'est-ce qui, en l'esprit humain, insiste sur le fait d'être unique? Ce n'est pas assez de simplement exister. Le fait que nous avons des empreintes digitales uniques ne fait pas juste simplifier les enquêtes policières. Nous y comprenons beaucoup plus. Nous sommes poussés à trouver notre voie unique, à frayer notre propre chemin, à être notre propre personne. Nous aimons bien avoir des choses en commun avec les autres, mais nous avons désespérément besoin de savoir que nous sommes tout de même uniques. Nous voulons ressembler aux autres tout en étant différents des autres. Nous voulons avoir des choses en commun, mais nous voulons sortir du commun.

Nous sommes composés de matériaux communs. Pourtant, quelque chose en nous crie que nous sommes plus que ce qui frappe les yeux. Nous sommes comme un tissu composé de toile de sac et de cachemire. Il est sûr et certain que nous deviendrons un jour poussière; la vie se résume-t-elle à cela, ou y a-t-il plus?

Il se peut que même en lisant ce texte, vous entendiez cette petite voix intérieure qui vous crie que vous êtes plus que de l'eau et de la poussière. Une grande partie de votre cheminement s'explique du fait que votre âme a ses passions. Votre âme sait qu'elle est unique. Une voix au plus profond de vous désire ardemment que vous la découvriez. Elle vous interpelle et vous invite à poursuivre la quête.

Quelque chose attend d'être découvert, et votre âme ne peut se reposer avant de le trouver.

En début de vie, nous sommes tous curieux, mais en cours de route, trop d'entre nous remplacent la curiosité par le conformisme. Nous sommes nés uniques, mais nous pouvons mourir uniformes. Henry Ford offrait son modèle T en n'importe quelle couleur, pourvu que ce soit le noir. Il était le maître de la standardisation. Ce n'était pas un concept durable en ce qui concerne les autos; combien moins devrait-ce l'être lorsqu'il s'agit d'êtres humains! Nous ne sommes pas censés tous nous ressembler, tous parler, agir ou vivre comme si nous étions des produits identiques issus d'une même usine.

Il est si facile de vivre sans réfléchir. Si nous ne faisons pas attention, nous pouvons nous trouver réduits à la somme des attentes des gens qui nous entourent. Nous nous permettrons de devenir génériques, normalisés, homogénéisés. Nous maintenons le statu quo. Nous nous conformons aux attentes des autres. Nous faisons taire notre curiosité. Nous cessons de questionner. Nous nous empêchons de brasser les choses. Nous faisons comme tout le monde. Nous nous mettons en file sans même nous demander pourquoi nous sommes là.

Mon fils, Aaron, et moi avons visité Londres au mois de décembre. Un soir, nous avons décidé d'aller voir un film dans le quartier de Piccadilly Circus. Le temps était froid et pluvieux, et il y avait une longue file d'attente pour acheter les billets. Je ne voulais pas me tenir en file sous la pluie; j'ai donc cherché une autre façon de procéder. À gauche de la file, j'ai vu un autre guichet. J'ai demandé au jeune homme qui y était de service s'il vendait lui aussi des billets. Il m'a répondu que oui, l'air surpris. Lorsque je lui ai demandé pourquoi il n'y avait personne devant son guichet tandis qu'une foule se tenait sous la pluie devant l'autre, il m'a répondu : « Je n'en ai pas la moindre idée. » Tandis que j'achetais nos billets, Aaron s'est approché des gens dans l'autre file pour leur dire que le deuxième guichet était ouvert. Ils hésitaient à le croire.

Pourquoi sommes-nous plus aptes à nous joindre à une file existante plutôt qu'à en créer une nouvelle?

À la longue, nous nous joignons à la file d'assemblage de la société, et notre vie devient normalisée, routinière, prévisible. Mais le banal nous rend misérables. Un jour, nous nous regardons dans le miroir et constatons que nous ne savons plus qui nous sommes ni pourquoi nous sommes là. *La vie est-elle arbitraire ou a-t-elle un sens? Suis-je une création unique ou le produit du simple hasard?*

Ce que nous cherchons trouve ses racines dans nos origines. Notre âme a ses passions; que nous reconnaissions le fait ou non, notre vie est façonnée par elles. Dès que nous voyons le jour, nous sommes en cheminement. Nous cherchons à découvrir ce qui nous rend uniques, qui nous sommes, pourquoi nous existons, vers où nous allons.

Pourquoi nous conformons-nous aux attentes des autres? Pourquoi craignons-nous d'être authentiques? ***ameavide.com***

Eric Bryant et moi voyagions d'Adelaïde à Sydney lorsque nous avons vu l'affiche sur le mur : *Pas attendu, pas remplaçable, pas morne, pas usuel, pas commun, pas typique, pas standard, pas terne, pas évident, pas pareil, pas prévisible, pas semblable, pas comparable. Qu'est-ce qui te rend unique?* (Notre traduction)

Unique.

Si nous nous trouvons constamment contrariés dans notre recherche de ce qui nous rend uniques, nous choisirons alors peut-être d'abandonner notre quête et de nous satisfaire d'une vie stérile, d'une simple existence. Il ne faut pas confondre *abandonner* et *se reposer*. Il semblerait que nous sommes destinés soit à être tourmentés par des désirs insatisfaits soit à simplement exister, insatisfaits, en étouffant nos désirs les plus profonds.

Mes souvenirs les plus anciens sont de désirs qui venaient du plus profond de mon être. À l'époque, je n'avais aucun langage pour les décrire, mais cela ne veut pas dire qu'ils ne me parlaient pas aussi fort à huit ans qu'à vingt-huit ou quarante-huit ans.

Lorsque j'étais petit enfant, je croyais en Dieu, en l'amour, en la joie. Il est naturel de croire en ces choses. Pour un enfant, l'inconnu est plus commun que le connu. Croire en Dieu, dans le mystère, dans l'invisible, est facile pour les enfants, car ils sont nés pour croire. Ils sont l'auditoire parfait pour les mythes, les fables et les contes de fées. En tant qu'adultes, nous considérons cette aptitude à croire comme une faiblesse, une preuve de la naïveté des enfants.

En vieillissant, nous devenons plus avisés. C'est bizarre de constater à quel point il est difficile pour les adultes de croire à quelque chose. Nous avons besoin de preuves qui viendraient justifier notre foi en l'invisible. Nous tentons d'édifier des systèmes de croyances fondés sur la logique et la raison. Enfants, nous croyions, tout simplement. La foi nous venait tout naturellement. Oui, notre innocence nous rendait susceptibles de croire aux mensonges, mais est-ce possible que nous naissions innocents afin que nous puissions trouver la vérité?

Nous avons été créés avec ce penchant naturel vers la foi.

Nous *ne venons pas* à la foi; nous la *quittons*.

Nous avons en nous la faculté et le désir de regarder au-delà de ce qui est matériel pour chercher l'éternel. Si Dieu existe, s'il nous a créés pour le connaître, si la foi est le moyen d'y arriver, ne serait-ce pas normal que nous naissions avec ce penchant naturel?

Pour certains, croire en Dieu, c'est trop demander. Ils

considèrent cela comme une insulte à leur intelligence. Pour eux, il est absurde de croire en quelque chose d'invisible. Si vous parlez à de telles personnes de l'influence de Dieu sur la vie des gens, ils insistent pour dire que ces sources secondaires sont sans importance. Si ce n'est pas de première main, ce n'est pas réel.

Et donc, il y a l'amour.

Quelques athées sont cohérents et refusent aussi de croire en l'amour. Aucune source première. En fait, ma recherche, bien que non scientifique, indique qu'il existe un lien direct entre une perte de foi en l'amour et une perte de foi en Dieu.

Mais la plupart des gens vivent sans noter l'incohérence de leurs pensées. Dieu est invisible. Nous ne pouvons pas prouver son existence en laboratoire. Ce serait donc trop demander que de croire en Dieu. Mais l'amour, lui aussi, est invisible. Nous ne pouvons pas le mesurer en laboratoire. Il n'y a que des sources secondaires pour attester son existence. Cependant, personne ne doute de l'existence de l'amour lorsqu'il vient à aimer quelqu'un.

Notre âme est avide de vérité, de beauté, d'émerveillement, d'amour. Notre âme désire ardemment rêver, imaginer et même simplement comprendre. Notre âme désire passionnément développer des liens, se donner, créer.

Si nous venons à croire que toutes ces choses ne sont que de fausses illusions dont nous devons nous débarrasser, notre âme devient malade. Lorsque ces espoirs nous semblent irréalisables, lorsque nous ne sommes plus transformés par la poursuite de ces idéaux toujours hors de portée, lorsque nous les abandonnons, nous ne nourrissons plus notre âme, et nous nous perdons.

Salomon a écrit que Dieu a mis l'éternité dans notre cœur, mais que nous n'arrivons pas à comprendre le message. Il savait que la plus grande preuve de l'existence de Dieu se trouve en nous, que notre plus grande connexion avec Dieu trouve sa source en nous. Jésus a dit que le royaume de Dieu est en nous, mais voilà que pendant deux mille ans, nous cherchions plutôt un royaume visible à nos yeux. Je suis tout à fait convaincu d'un fait : Dieu nous a donné des passions de l'âme qui nous feront perdre la raison ou nous attireront à lui. Notre âme a soif de Dieu, que nous le sachions ou non.

Je perds constamment des objets. Je passe des heures à les rechercher. Quand j'étais petit, je pensais que Dieu me punissait en cachant l'objet perdu. J'étais certain que j'avais commis une faute horrible contre Dieu et contre l'humanité, et que Dieu me punissait en cachant mes souliers. Ma mère allait se fâcher. Ce n'était sûrement pas facile d'avoir un enfant qui perdait tout.

La perte d'objets m'a enseigné à prier. Je passais chaque instant de ma recherche à invoquer Dieu afin qu'il puisse m'aider à trouver ce que j'avais perdu. Je repensais à toutes mes mauvaises actions et j'essayais de les corriger : je faisais mon lit, je nettoyais la garde-robe, je prenais toutes les choses que j'avais jetées sous le lit et je les rangeais comme il faut. Je revoyais en mémoire tout je que j'aurais bien pu faire de mal et je faisais tout mon possible pour remettre tout en ordre. J'essayais désespérément de découvrir l'acte que Dieu me reprochait afin de pouvoir me retrouver de nouveau dans ses bonnes grâces et retrouver l'objet perdu.

Vous penserez peut-être qu'il s'agissait là d'un processus ridicule, mais franchement, ça fonctionnait souvent. La plupart du temps, je pouvais pacifier Dieu, réparer toute brèche au cosmos provoquée par mon acte et retrouver la paire de souliers, ou la montre, ou le porte-monnaie, ou tout autre objet manquant. Je constate aujourd'hui que la seule chose qui semblait constamment perdue, c'était moi. Je me cherchais, ou plutôt je cherchais à comprendre qui j'étais.

Quelque part en cours de route, je me suis perdu.

Vous sentez-vous parfois complètement perdu, sans comprendre comment vous en êtes arrivé là? Comment arrivez-vous à vous retrouver? ***ameavide.com***

Nous essayons de combler le gouffre en nous avec tout ce que nous trouvons à nous mettre sous la main, mais il nous est impossible de le combler. Même après avoir cherché partout ailleurs, même lorsqu'il ne reste aucune autre possibilité, nous négligeons tout de même de considérer la possibilité que ce soit Dieu que nous recherchions. Jamais nous ne pourrons assez soutirer de la vie, jamais nous ne pourrons gagner assez pour remplir ce gouffre infini. Quoi que nous fassions, quoi que nous tentions de faire, ce gouffre subsistera.

Lorsque Jésus a demandé ce que cela donne de gagner le monde entier si nous perdons notre propre âme, serait-ce des gens comme nous qu'il avait en tête? Nous passons notre vie entière comme esclaves à nos désirs, décidés à satisfaire ces passions de l'âme d'une façon ou d'une autre. Nous saisissons tout ce que nous pouvons, nous gardons tout ce que nous pouvons saisir, nous devenons des versions humaines d'un trou noir.

Il y a en nous quelque chose qui nous attire vers Dieu, une

soif de l'âme que nous n'arrivons pas à comprendre.

N'est-ce pas logique de penser que si le Créateur de l'univers nous a créés pour jouir d'une relation avec lui, alors il mettrait toutes les chances de notre côté pour que nous puissions le chercher, aller à sa rencontre et même le trouver?

Nous voilà de nouveau en train de jouer à cache-cache. Il se peut que vous vous posiez la question suivante : *Si Dieu veut que je le trouve, si mon âme a tellement soif de lui, pourquoi n'est-ce pas plus facile de le trouver?*

Êtes-vous déjà parti à la recherche de Dieu?

Moi, si. Franchement, je ne l'ai pas trouvé très coopératif. J'avais déjà tendance à tout perdre. Comment étais-je censé trouver Dieu?

Lorsque nous perdons quelque chose, nous devons revenir sur nos pas.

Donc, j'ai posé des questions et j'ai cherché Dieu là où l'on pensait l'avoir entrevu en dernier : la religion. Après tout, des millions de personnes autour du monde semblent rendre visite à Dieu hebdomadairement, à moins que vous ne leur parliez. Alors, vous constatez qu'ils ne l'ont pas rencontré non plus. Ils étaient là, à sa recherche, espérant le rencontrer eux aussi. Il n'y a rien de plus frustrant que de tenter de chercher Dieu pour quitter les mains vides, le goût amer de la religion à la bouche.

Ma grand-mère était catholique romaine, et j'ai donc commencé mon cheminement spirituel en participant à une messe en latin. Je me rappelle que j'ai ressenti beaucoup de peine pour Dieu en voyant le crucifix. C'est difficile de se fâcher contre Dieu lorsque son état semble pire que le tien. Je ressentais beaucoup de compassion pour lui. J'étais aussi très reconnaissant du fait que Jésus était mort pour les péchés de l'humanité. Je ne comprenais pas encore ce qu'était le péché, mais, selon ce que j'avais entendu, c'était un problème sérieux. De mon côté, j'avais d'autres problèmes à résoudre. Je sais que cela semble égoïste de ma part, mais j'avais vraiment besoin de quelqu'un qui pouvait m'aider, et Dieu ne semblait pas disponible.

Je me souviens qu'à dix ans, je me suis enfui de la maison. On m'avait retrouvé, on m'avait grondé, on m'avait interdit de sortir de la maison, puis renvoyé dans ma chambre. Je me trouvais donc là, criant après Dieu à tue-tête. Je me souviens que je lui disais des bêtises et que je me suis arrêté pour voir ce qui allait se passer. Rien ne s'est passé, et il me semblait que c'était pire que toute autre réaction possible.

Tant de personnes passent leur vie à craindre que Dieu les punisse ou à espérer que Dieu leur vienne en aide sans voir l'une ou l'autre de ces possibilités se réaliser.

Lorsque nous constatons tout ce que les gens font dans l'espoir d'attirer l'attention de Dieu, nous pouvons nous demander s'ils ne font que perdre leur temps.

Ce n'est pas que Dieu est à blâmer. Je ne me suis jamais vraiment fâché contre lui ou autre chose du genre. J'en suis simplement venu à conclure qu'il était bien trop occupé avec des choses ou des personnes bien plus importantes que moi. Pendant une grande partie de ma vie, je me suis senti invisible. Il me semblait donc assez arrogant et présomptueux de ma part de croire que

Dieu me verrait. Dieu s'intéressait probablement seulement aux détails importants. Ou peut-être, seulement peut-être, se passait-il beaucoup de choses à mon insu?

À de multiples reprises, Jésus a parlé de la valeur que Dieu accorde à l'individu. Il a décrit Dieu comme un bon berger qui laisse les quatre-vingt-dix-neuf brebis qui sont saines et sauves pour aller à la recherche de la brebis unique qui s'est perdue. Il a comparé Dieu à la femme qui balaye toute sa maison pour retrouver la pièce de monnaie qu'elle avait perdue. Il a enseigné que Dieu est comme un père qui attend le retour de son fils prodigue.

L'individu a une grande valeur aux yeux de Dieu.

Steven Spielberg explore le thème de l'importance de l'individu dans plusieurs de ses films. De *E.T.* à *A.I.*, de *La Liste de Schindler* à *Il faut sauver le soldat Ryan,* Spielberg semble fasciné par le cheminement de l'individu. Dans le film *Il faut sauver le soldat Ryan*, nous voyons l'histoire vécue d'une troupe d'hommes qui ont traversé des champs de guerre pour trouver un simple soldat et s'assurer de son retour au pays. Le film soulève une question importante : quelle valeur faut-il accorder à une vie humaine? Jusqu'où devrions-nous aller pour sauver une personne?

Je croyais auparavant que je cherchais Dieu désespérément. J'ai changé d'avis à ce sujet. En faisant un retour sur le passé, je constate que c'était plutôt Dieu qui me cherchait ardemment. Je me demandais pourquoi Dieu ne venait pas guérir mon âme souffrante. Je comprends maintenant que c'est la souffrance de mon âme qui m'a poussé vers Dieu. Notre âme souffre de soif et de faim lorsque nous vivons sans Dieu. Je croyais pendant un temps que Dieu pouvait satisfaire mes besoins et mettre fin à cette soif de l'âme. Je sais aujourd'hui que ce n'est pas ainsi qu'il agit.

Mon âme ne veut pas simplement recevoir quelque chose de Dieu; c'est Dieu lui-même qu'elle veut recevoir. Et, en passant, votre âme aussi le désire.

C'est pour cette raison qu'en fin de compte, tout le reste nous laisse insatisfaits. Je ne dis pas ça pour vous décourager, mais plutôt pour vous motiver. Toutes les preuves nécessaires de l'existence de Dieu se trouvent en vous; vous n'avez qu'à les découvrir. Nous avons cheminé ensemble dans ce livre, mais la route ne doit pas s'arrêter là. Nous ne sommes pas arrivés à destination, mais plutôt à une croisée des chemins. Il y a des choix à faire et des décisions à prendre. Vous voudrez peut-être prendre quelques minutes pour faire un retour en arrière et constater combien vous avez déjà cheminé.

Si vous vous êtes rendu jusqu'ici, vous êtes le genre de personne que Jésus a loué. Il vous appelle *chercheur* et vous assure que si vous cherchez, vous trouverez.

Il promet aussi que si vous frappez, il vous ouvrira la porte, et que si vous demandez, vous recevrez. Il ne parle pas ici de biens matériels, mais plutôt des désirs les plus profonds de votre âme. Alors, continuez à chercher, à frapper, à demander, et n'arrêtez pas avant d'avoir trouvé, d'être entré, et d'avoir eu la réponse que votre âme cherche depuis si longtemps.

Votre âme a soif, et c'est Dieu lui-même qu'elle désire. Alors, écoutez attentivement cette voix intérieure. Ne vous inquiétez pas. Vous ne devenez pas fou. Vous ne vous parlez pas simplement à vous-même. Dieu vous demande de lui prêter attention. Il vous invite à entrer en relation avec lui. Si vous écoutez votre âme, elle vous guidera vers Dieu.

Avez-vous parfois l'impression que Dieu vous interpelle?
ameavide.com

Il y a un vaste espace inexploré en vous, plus vaste que cet univers en expansion qui nous entoure. Je suis certain que si vous prenez le temps de voyager jusqu'aux profondeurs de votre âme, vous n'en partirez pas déçu; et il se peut qu'à votre grand étonnement, vous rencontriez Dieu chemin faisant. J'espère que ce livre vous a aidé quelque soit peu à partir sur cette quête.

Et que faire lorsque vous rencontrez Dieu?

Vous êtes-vous trouvé face à face avec Dieu? Avez-vous ressenti sa douce présence frôlant votre âme comme une douce brise sur votre visage? Comment allez-vous répondre à son appel?

Pour vous confier en Dieu, vous devez savoir qu'il vous aime infiniment et sans condition. C'est la beauté de la mort de Jésus sur la croix. C'est la déclaration d'amour de Dieu à votre égard. Son amour vous accueille, où que vous soyez rendu dans votre cheminement, et de là, il vous lance sur une quête. Il vous invite à poursuivre la vie pour laquelle il vous a créé. Votre âme sait qu'il y a plus à la vie, que Dieu a un rêve à sa mesure qu'il désire que vous découvriez et poursuiviez.

Nous désirons tous trouver l'intimité, un sens à la vie, un destin à poursuivre. Notre âme a soif d'amour, de foi et d'espérance. Nous cherchons tous à satisfaire ces passions de notre âme et seul Dieu peut les satisfaire.

J'imagine que ce ne sera jamais simple, mais Jésus a rendu cela possible. Vous n'avez pas à craindre de confier votre vie à une personne qui a donné sa vie pour vous.

Peut-être n'êtes-vous pas comme moi, mais je crois plutôt que nous nous ressemblons beaucoup.

Votre âme désire ardemment croire.

Vous avez été blessé, vous avez été déçu, mais en votre for intérieur, vous entendez cette petite voix vous confirmant que vous pouvez confier votre vie à Dieu en toute sécurité, que vous pouvez faire confiance à Jésus. Son amour est pur. Votre âme a besoin de lui tout comme une terre aride a besoin d'eau.

C'est seulement en cheminant avec Dieu que nous constatons toute la beauté et toutes les possibilités qui nous entourent. Jésus est venu parmi nous pour que nous puissions le voir, l'entendre, le toucher, le sentir, le connaître.

Le connaître, c'est l'aspiration la plus profonde de votre âme.

Quelques Questions

1. Croyez-vous que vos rêves peuvent se réaliser? Quelle importance devrions-nous accorder aux rêves en tant qu'adultes?
2. Croyez-vous que le monde peut devenir meilleur?
3. Est-ce qu'aimer est toujours un risque? L'amour vous a-t-il déjà laissé à vide?
4. Qu'est-ce que cela changerait à votre vie si vous étiez certain que Dieu vous aime inconditionnellement?
5. Quelle est votre vision de Dieu? Comment décririez-vous son amour?
6. Craignez-vous d'être déçu par Dieu? Avez-vous été déçu par Dieu par le passé?
7. En quoi aimeriez-vous croire?
8. Comment reconnaître la vérité?
9. La religion s'oppose-t-elle à Jésus? Est-ce possible de suivre Jésus sans devenir religieux?
10. Pourquoi nous conformons-nous aux attentes des autres? Pourquoi craignons-nous d'être authentiques?
11. Vous sentez-vous parfois complètement perdu, sans comprendre comment vous en êtes arrivé là? Comment arrivez-vous à vous retrouver?
12. Avez-vous parfois l'impression que Dieu vous interpelle?

Joignez-vous au dialogue : ameavide.com

Ameavide.com : un site à découvrir

Vous pouvez poursuivre le dialogue en visitant le site compagnon du livre, ameavide.com. Vous y trouverez entre autres les rubriques suivantes :

Je m'affiche : un blogue qui accueille vos pensées et vos commentaires sur le livre et sur la vie.

Ces questions : un blogue qui vous invite à poster vos questions et à participer à la découverte de réponses.

Club de lecture : un guide interactif qui présente un résumé de chaque chapitre de la version intégrale du livre *Âme avide*, ainsi que quelques questions de réflexion et des histoires vécues.

La quête continue : une page de liens intéressants qui peuvent vous aider à en découvrir plus sur Jésus et la vie qu'il vous offre.

Dialogue : un lien vers un système de gestion de courriels confidentiel et anonyme qui vous met en contact avec un bénévole accompagnateur prêt à accueillir vos commentaires et vos questions et vous encourager dans votre quête de réponses.

Recherchez *Âme avide* sur facebook.

Si vous avez aimé ces extraits, vous aimerez sûrement la version intégrale du livre *Âme avide*.

La quête de votre vie est la quête pour votre vie.

Dans le livre *Âme avide* Erwin McManus nous invite à réfléchir à notre besoin d'amour, de sens et de destinée. Selon lui, ces aspirations de l'âme seraient des indices de notre besoin de Dieu. Son livre nous invite à découvrir en Jésus le seul qui puisse satisfaire pleinement à ces aspirations.

Vous pouvez commander un exemplaire de ce livre dès aujourd'hui en visitant le site **ameavide.com**.